Le soir, le hibou **ULULE**
et la chouette **CHUINTE**.
HOU HOU

Les chiens **ABOIENT**
après les chats.

OUAF OUAF

Et le loup **HURLE**
à la lune.
WOUUU WOUUU

Le chat **MIAULE** pour réclamer son repas.

MIAOU MIAOU

Le lion **RUGIT**
lorsqu'il veut manger.

GRRRRR

L'âne **BRAIT**
pour parler à ses amis.

HI HAN HI HAN

Le cheval **HENNIT** et
S'ÉBROUE bruyamment.

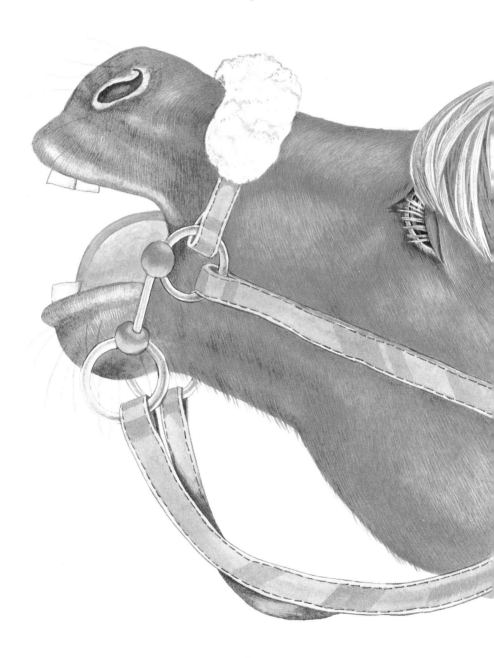

Peux-tu imiter les sons
qu'il produit?

L'éléphant **BARRIT**
lorsqu'il aperçoit
une petite souris.

La souris **COUINE COUIC COUIC**

Attention à tes grosses pattes !

Là-bas, sur la ferme, le cochon **GROGNE** bruyamment.

GROIN GROIN

La vache **MEUGLE**
MEUH MEUH

tandis que le mouton **BÊLE**.
BÊÊÊÊ BÊÊÊÊ

Te souviens-tu de tous ces **CRIS** d'animaux?